Dha Sam agus Kate agus
na h-oidhcheannan dòigheil – AH

Dha D. A. R. agus K. G. J. (tha aig balaich
mhòra ri ìocshlaint a ghabhail cuideachd) – AJ

# Bheil Thu Idir Gu Math, Sam?

**Amy Hest** dealbhan le **Anita Jeram**

A' chiad fhoillseachadh an 2002 le Walker Books Ltd
87 Vauxhall Walk, Lunnainn SE11 5HJ

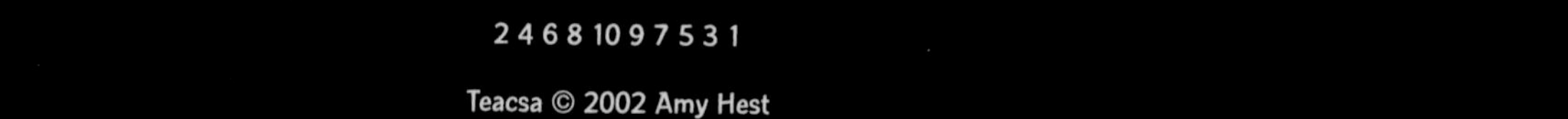

2 4 6 8 10 9 7 5 3 1

Clò-bhuailte ann an Sìona

Foillsichte sa Ghàidhlig le rèite eadar Acair agus Walker Books Ltd., Lunnainn.


Data Catalogadh ann am Foillseachadh an Labharlann Bhreatainn:
gheibhear clàr-catalogaidh airson an leabhair seo bho Leabharlann Bhreatainn

Chuidich Comhairle nan Leabhraichean am foillsichear le cosgaisean an leabhair seo.

LAGE/ISBN 0 86152 651 1

A-muigh 's e oidhche dhubh,
dhorch a bh' ann.

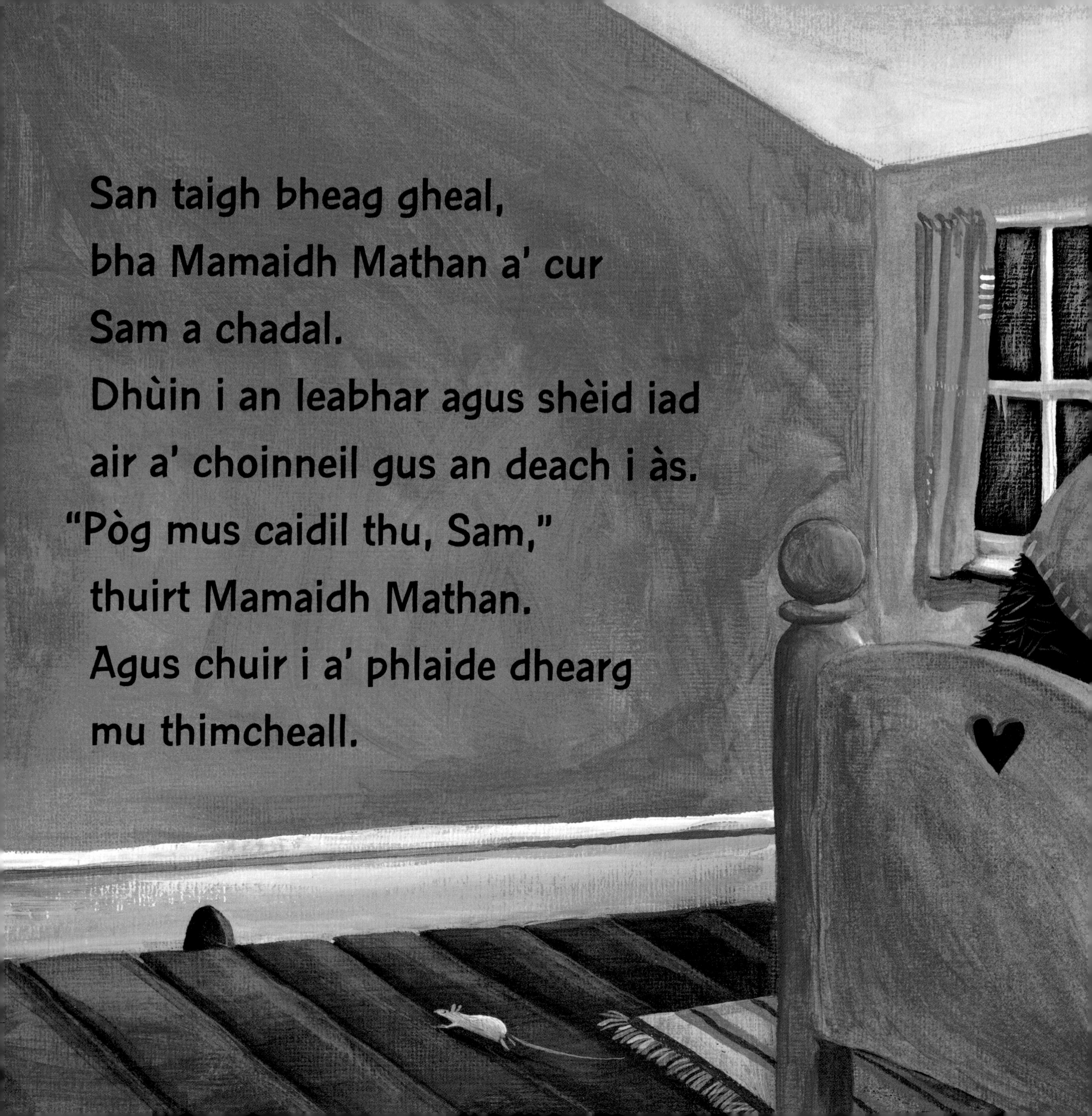

San taigh bheag gheal,
bha Mamaidh Mathan a' cur
Sam a chadal.
Dhùin i an leabhar agus shèid iad
air a' choinneil gus an deach i às.
"Pòg mus caidil thu, Sam,"
thuirt Mamaidh Mathan.
Agus chuir i a' phlaide dhearg
mu thimcheall.

Ach 's ann a chuala i casad – *Hcc, hcc!*
Agus bha Sam an sin na leth-shuidhe,
a' coimhead bochd agus tùrsach san leabaidh.
'S esan, bròinean beag, a bha a' casadaich.

Thug Mamaidh Mathan cudail mòr dha Sam.
Thog i Sam a-steach thuice fhèin.
"Bheil thu idir gu math, Sam?"
Chrath Sam a cheann. *Hcc, hcc!*
"Sam bochd." Thug Mamaidh Mathan cudail mòr eile dha agus phòg i a phluic bheag bhlàth.
"Tha casadaich ort," ars ise.

Agus rinn i às sìos an staidhre –
– agus suas air ais –
le botal ìocshlaint.

"Fosgail mòr, Sam!" thuirt Mamaidh Mathan.

Chrath Sam a cheann. "Blas *grànda*," ars esan.

"Abair sin," arsa Mamaidh Mathan.

"Feumaidh tu bhith làidir."

Chuir Sam a' phlaide mu cheann.

"Chan eil casadaich orm *ann*!" ***Hcc, hcc!***

"Feuch a-rithist, Sam," arsa Mamaidh Mathan.
Thug Sam a' phlaide bho a cheann.
Dh'fhosgail e, agus an uair sin dhùin e
a bheul gu math teann.
Bha an spàin ro mhòr.

"Ro mhòr," arsa Sam.
*Hcc, hcc!*

"Nì thu a' chùis," thuirt Mamaidh Mathan.
"Tha *deagh* fhios a'm gun dèan!"
Dh'fhosgail Sam a bheul,
ach dhùin e air ais e gu math teann.
Bha an spàin ro mhòr
agus bha cus ìocshlaint innte.

"Fada cus," thuirt Sam.
*Hcc, hcc!*

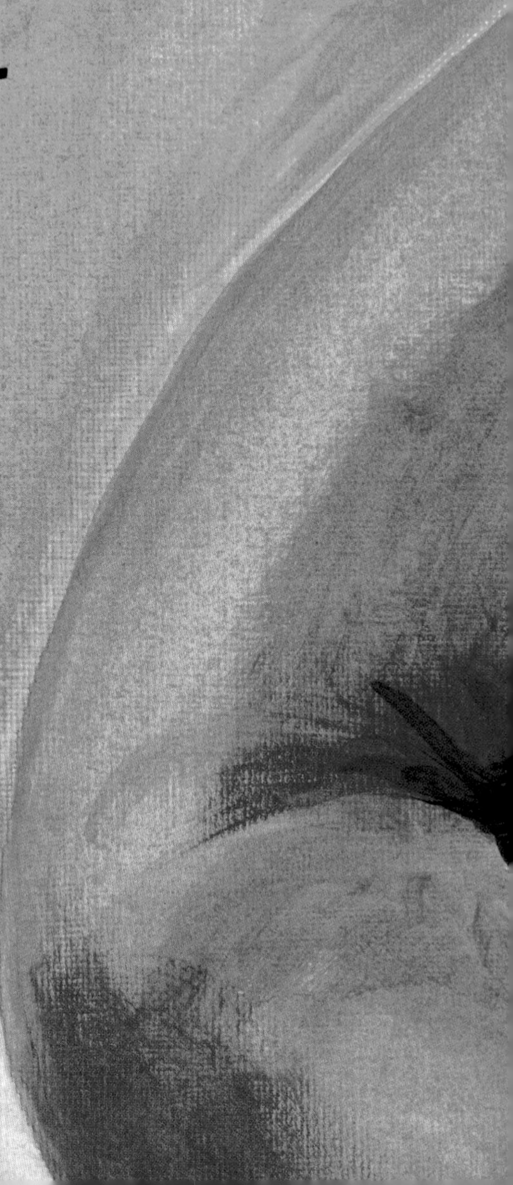

Chaidh Mamaidh Mathan
chun na h-uinneig
agus sheall i a-mach.
Bha an reothadh ann.
"Chan fhada gus an
dèan e sneachd,"
thuirt i.

"Fosgail mòr, Sam, agus an uair sin thèid sinn sìos an staidhre agus feithidh sinn ris an t-sneachd."

## *Sneachd!*

Dh'fhosgail Sam a bheul – mòr.

An uair sin buileach mòr.

Bha e a' plubraich 's a' plabraich.

Chuir e drèin air

agus sìos leis an ìocshlaint.

"Mathan beag, còir, Sam,"

ars esan.

Thàinig Mamaidh Mathan
agus Sam sìos an staidhre
air làmhan a chèile.
Bha esan le gùn gorm air
agus bha na sliopars aige
gorm cuideachd.

Las iad teine beag sa chidsin,
agus an uair sin rinn iad poit theatha.
Chuir Mamaidh Mathan mil dhan
teatha agus abair gun robh sin càilear.
Dh'fhairich Sam a' mhil bhlàth
a' dol sìos na bhroilleach.

Às dèidh na teatha, shuidh iad san t-sèithear mhòr phurpaidh ri taobh na h-uinneig, a' feitheamh an t-sneachd.
Dh'innis Mamaidh Mathan stòraidh mu mhathan beag air an robh Sam.
Chòrd an stòraidh ri Sam agus dh'innis i a-rithist i.

*Hcc, hcc!* ars an casad an ceann gach greis.

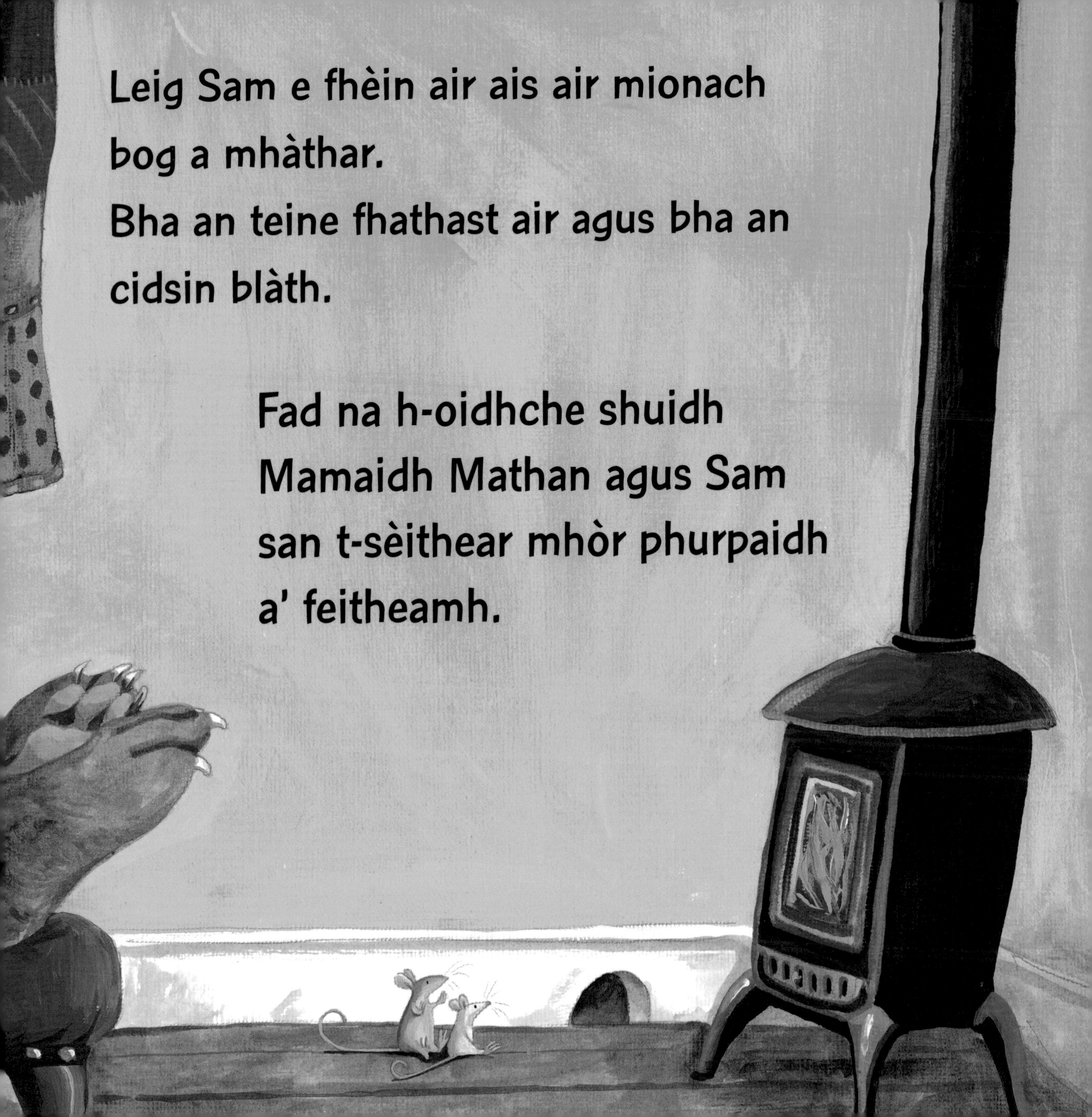

Leig Sam e fhèin air ais air mionach bog a mhàthar.
Bha an teine fhathast air agus bha an cidsin blàth.

Fad na h-oidhche shuidh Mamaidh Mathan agus Sam san t-sèithear mhòr phurpaidh a' feitheamh.

Agus mu dheireadh
thall thòisich e
a' cur.